KB152297

순간,
다음
으로

순간,
다음
으로

김정희 사진시집

바람난장 속에서
시를 스케치하다

바람난장에 바람이 빠진 날은 김이 샌다.
바람 한번 불어줘야 바람난장 펼치는 맛이 날 정도로
난장이 펼쳐지는 날은 바람이 따랐다.
바람난장을 가는 토요일은 바쁘게 지낸 시간에 대한
보상처럼 기분 좋은 날이었다.
바람난장은 예술가들의 제주여행이다.
제주의 역사가 있는 곳, 제주가 숨을 쉬는 곳, 한라산에서
포구, 오름, 곶자왈, 숲, 섬 속의 섬 가파도 우도 비양도,
예술가를 찾아갔다.
바람난장에서 만난 따뜻한 사람들께 지면을 통해
고마움을 전한다.

바람난장에 초대해주신 바람난장장이신 오승철 시인과
김해곤 화가, 황경수 교수, 정민자 연극인,
해마다 바람난장을 맡아주신 대표님들께 고맙다.
사진을 찍어주신 허영숙 사진작가님, 채명섭 사진작가님
그리고 퍼포먼스로 난장에 힘을 실어주신 김백기님,
박연술 무용가님, 강다혜 무용가님께도
감사 인사를 보낸다.
그동안 화가, 음악가, 무용가, 문학인, 시낭송가,
사진작가님, 영상 작가님들이 많은 시간 함께해주셨다.
바람난장에 항상 동행한 김정희와 시놀이팀
이정아, 이혜정, 장순자 시낭송 동인에게 고맙다.

순간,
다음
으로

순간, 다음 으로

바람난장 속에서
시를 스케치하다
바람난장의
바람 꼬리 같은 단상, 단상
난장 예술가의
퍼포먼스가
내게는 시가 되었다

김정희 사진시집

따라비 오름

바람을 가르며 나타난
가을 검객
소리 없이 난장패들 앞으로 돌진이다
이내 날선 검을 휘두른다
바람처럼 허공을 가른다
구름이 떨어져 흩어지고
햇살이 부서지며
내 서툰 시간도 잘려나간다
검이 거두어지고
오름의 억새는 춤을 춘다
들국화 바람에도 아랑곳 않고
햇살 받느라 고개를 쳐든다
온몸으로 오름을 느낀다

알작지

알작지 사이로 소금 연주
바다로 간다

오징어잡이 불빛
수평선에 걸려 그림자도 눈부시게 걸린
초저녁
너울은 알작지로 가르륵 굴러 넘친다
지는 해 안으로
구름 너머 밭갈이 한창인 농부의 밭으로
노을이 숨어 저녁 마을을 본다

너울에 맡겨진 배 한 척 바다에 떠 있다

번앵초 노란꽃술 달고 바다로 기운다

저녁이 바다에서 올라온다

사르락

바다를 들락거리다

마음 졸여 더 작아져가는

알작지로

어둠이 든다

먹글이 있는 집

-현병찬 서예가 서실을 찾아서

방 안 가득 먹향이 들어와
먹글 속에 앉았다
먹은 흩뿌려지고
화분처럼 받쳐 든 글의 한 획마다
그의 삶이 녹아들어 꽃이 되었다
손바닥으로 받쳐 든 먹은
서실에서 하얗게 춤을 추었다
울림은 마음을 두드리며 벽마다 걸렸다

먹글이 있는 집으로
별헤는 동주의 환영이 걸어 들어오고
사랑의 노래는
꽃처럼 흩뿌려지네

비양도1

-바다 학교

비양도
물때가 되면 자리를 비워줘야 하는
등대 아랫목에서 게를 잡는 아이들은 자유롭다
플룻 연주는 일렁이는 바다를 토닥이고
전교생 아이 세 명이 모여 섬을 채운다
바다음악 가까이서 놀고 있다
바다학교에서 언니들이 플룻을 연주하는 동안
동생은 바다를 줍는다

바람코지에서 불어오는 바람
갯냄새가 올라온다
아침나절 물 빠진 바다는 고운 청빛
검정돌에 이끼가 봄처럼 돋았다

비양도 2

-시를 읽다

비양도에 온 새들은 날개 접고 쉰다
바닷바람에 멀리 왔다고 날개 말리느라
어서 일어나 날아보라고 재촉해보아도
조용하다

걱정이 없는 바다는 느리게 출렁일 뿐
바다에 처음 와 본 그녀가
바다와 친한 척 서툰 포즈를 잡고
시를 읽고 있다
섬 하나를 다 돌고 나와 발그레한 얼굴은
비양도 처녀

아부오름

마불림 바람이 불면
나무의 껍질 속으로 물이 든다
곰팡내 나던 장마는 가고
마음 치료받는 팬플룻에 몸을 움직여본다
건반으로 흘러드는 햇살 말고도 바람에
불려 나오는 연둣빛 여름을
하나씩 나무에 걸어 말린다
바람의 흐름대로 몸을 맡기면 천은
내 몸에서 펄럭이며 멀어진다
층층이 아부오름과 연결되듯 멀찍이
사이를 벌려 나만의 공간을 가지고 오른다
오름은 가볍게 아버지 미소로
양산을 쓰고 오르는
젊은 여자의 싱그러움을 따라 넘는다

자구내 해녀삼춘

차귀도 수월봉 당산봉 너른 밭
고산포구
그녀를 위한 축제는 바다의 축제
땀이 녹아 더 짠내 나는 바다가 되어
둥둥 테왁처럼 떠버린 그녀가
그 자리에서 춤을 춘다
덩실거리는 그녀는
전쟁터에서 사냥감을 들고 들어오는 전사처럼 당당하다
단단히 하나가 되어 준 테왁은 여유를 주었다
물소중이는 한때 패션처럼 무대복이 되어주고
해녀노래는 애창곡이 되어
그 옛날 스무살 바깥물질도 잊는다

마음 놓고 웃어 본 날 언제련가

바다 밖으로 나온 여자
그대로 보여주는 시간

곱게 차려입고 싶었지
여직 해온 일 못할 것도 없지

하나가 아니어서 살아 온
여럿이 숨비소리 하나 되어
바다에서 올라온 여자의 시간

바다 무대로 불러보면
어머니
나를 부르는 소리

섯알오름 칠월 칠석

난 거기 없어라
숨을 겨를도 없어라
검정고무신 하나씩
떨어뜨려
나 간다
다시 못 올 이곳에
울어줄 이 남아 있으려나
떨어지지 않는 발걸음
총칼에 떠밀려 가네
너는 어디 있고
나는 어디 누웠나
바람에 섯알오름 풀 냄새
이곳으로 날아와
안부를 전해주네
잊지 않았구나
보이네
흰나비들로 나왔네

태역장오리 바람

태풍이 온다
말 울음소리 내며 다가오고 있다
말을 태와 말과 살았다는
헌마공신 김만일
산마장 태역장오리 오름 달리는
바람이 되어 돌아왔다
바람의 말을 듣고
말의 말을 듣고
말의 잔등을 쓸어주며 달래주어
말과 살아가는 제주 사람
바람은 말과 달리는 사람 키운다

우도 바람

바다에 던져진 낚싯줄
가야금에 달려
바람을 낚는다
가시에 걸린 물고기
어루만지는 가야금
낚싯줄에 걸려
헤매이는 공간은 내팽개쳐지고
물고기 물이 없는 어항에 담겨
팔딱이네
뜯겨지는 가야금 줄
날아든 흰나비
바다로 날아간다

우도 톨칸이

탑을 쌓는 바람이
바다에서 올라와 톨칸이에서 논다
바람 피우는 가야금 소리
우도를 깨우고
바닷물 흐르고 흐르네
물소리 조율하네
귀를 간질이는 어머니 물소리
들다 말다
돌아 돌아 톨칸이 나가는 바람

돌공원 어머니 방

어머니의 방 앞
오백나한 그늘조차 잊은 하늘은 깊다
거대한 돌
돌이 숨 쉬는 곳에 와서
말을 걸어본다
바람의 힘을 빌려
억새는 돌에 기대
돌을 쓰다듬는다
하나의 이름으로는 부족한 돌
돌공원에 음악이 흐르고
구음으로 넋을 달래는
살풀이가 흐르는
사람을 만드는 돌
뜨거운 가슴이 돌에 안겨
어머니 방에 온기를 넣는다

어머니의 방
Mother's Room

한라산 어리목

족은두레왓 민대가리오름 만세동산 사제비동산 쳇망오름

산에 오면 산 사람이 된다
내려놓을 줄 알게 된다
가지고 싶은 것이 없어진다
한라산의 숨을 받아마시는 영기
온 산을 덮는다
비가 되어 내리는 어리목
그녀의 손길은 한라산을 휘감고
구름에 가린 산은 아주 사라지고도
남은 자의 몸부림으로 살려내는
새는 자유롭다
승물의 종소리 멀리 산은 걸어가고
그대로 바람은 쉬어간다

월정리 밭담

흑룡이 지난 자리마다
검은 돌들이 떨어졌다

흑룡이 내려앉았구만

다시 일으켜 세워
흔들리지 않게 듬성듬성 구멍을 내어
바람도 드나들고
한숨도 나눠 가진

보리 물결 흔들릴 때
흑룡은 다시 돌아와
유채꽃 향에도 스스로 기울어
살아 꿈틀대는

아버지 갈옷 널어 말리던 밭담
낮으면서 적당한 아버지 허리춤만큼이다
밭 갈러 밭담 넘어 들어가네
흑룡 타고 노는 아버지

밭담

길은 그녀의 허리처럼 굽었다
물질바당 잡아두젠 존둥이 흔들멍
도르멍 도르멍 걸었던 길
흔들거리듯 굽었다

먼 데를 보지 않아도
한라산은 그 자리에 있고
돌담은 그곳까지 이어져
누운 할망
내려오기라도 하듯
돌담 트멍 바람으로 들어온다

대정, 기억의 늪

하늘이 내려와
그녀의 팔에 파랗게 걸려
땅을 덮는다

그녀가 일어나 앉은 자리
하늘이 바람에 날리며 춤을 추네

꽃이 되어
청나비가 되어 난다

사르르 내리는 두 눈
옷자락 하나 부여 잡은
그 손에
해가 따라 붙는다

한낮으로 가는 대정현
붉은 눈으로
떨어진 하늘 올려본다

이 장소는 1948년 '4·3'이 발발하자 김익렬
국방경비대 9연대장과 김달삼 인민유격대
사령관이 '4. 28' 평화회담을 했던 곳이다.
「문화패 바람난장」은 이를 기억하고자
동백나무를 심고, 표석을 놓는다.
2018년 3월 17일
바람난장 - 예술이 흐르는 길

행기머체

행여
그녀 걸어 오시네

놋그릇에 물 흘러
나무는 자라고
바위를 감싸안고
자란 나무는 가족으로 뭉쳐 살고 있다

돌무리 호위 속에 하늘을 내려받고
파란 봄물 들이는 가시리로
행기머체
풀어 앉은 봄 아래 바람도 일으키시나
비구름 속에 가린 하루의 낮
하늘로 오시나

하늘로 흩뿌리고 받아낸
봄을 향하여
헝클어진 바위 아래
제비꽃 늘어진
버선발 사뿐히 춤추시네

사라봉 낙조

용이 숨어든 하늘 아래서
하늘은 붉다
낙조 아래 불타듯 바람 뛰어들고
구름에서 일어난 빛이
마을을 내비친다
저녁 빛으로 내린다
바다와 해를 안아들고 몸을 맡긴다
한 획으로 내려앉은 구름 아래로
노을빛은 흘러
저녁 술 익는 마을로 간다
바람난장 한창 취하는 중이다
등대로 오른 바람 하얗게 날린다

오월 귤밭

귤향기 따라
다른 세상이다

안개 속에 눈이 부시다
귤꽃 흐드러지게 피어서
꽃향에 취하는 오월
시가 흐른다
기타 선율에 안개는 조금 가까이 들어앉았다가
바람난장에 물러나 앉기도 하다가
머들 위에 큰 윤노리낭 꽃가지 하얗다

멀리 바다 건너 온 손님도
점점 취해 몸을 흔들며 장단 맞추는 과수원 난장

돌담 밖으로 귤향 피워대는 바람에

자갈밭 일구던 어머니 거친 손마디
갈중이 털털 털며 골채 들고 걸어가신다

잃어버린 마을, 하논

사람이 살던 곳
사람은 떠나고 빈 마을로 살아왔다
숨골이 살아 있는 자리
오래 남은 돌담 이끼가 말하듯
돌담 트멍으로 정동줄 감아든다
호수는 큰 논이 되어
절로 가는 길
순례길
사람이 돌아온다
가을 바람난장
불같이 날아드는 잠자리처럼 자유롭다
돌을 들어올리는 그녀
손짓으로 흐르는 하논
사뿐히 옮기는 발길로
성당 터에 춤을 풀어 놓는 그녀

호수의 눈길로 사람을 보는

아,

어디서 들려오는 구음에 애간장 태우는 제단에 놓인 그녀

춤과 소리가 받쳐져

마르 하논에 넋도 잠든다

백년의 은행나무 그늘로 사람이 모여든다

당케포구

노 젓고 가 본다
등대 아래 설명주 할망당에서 바싹
슬픔 깨는 소리 몰려온다
제주바당
그림자는 진혼곡으로 울려오는 소금 소리
당도 울먹이고 까맣게 돌들이 타는
여름 한조각 쌓이는 당케포구
울렁거리는 바당에 파도 밀려드네
오색 한복 지어 입던 물감물 같은 천들을 감아올린다
바다에 내리네
으렁으렁 바다가 올라오네
바다에 넋이 올라오네
물할망 일 갔다 돌아오면
살려달라 지켜달라 봐달라
편지가 쌓인다

우도 갯메꽃

서둘러 남겨진 파란 슬리퍼
따라나와 앉은 어린 딸
섬에서 태어나 섬 여자가 되어가는
순진한 햇살에 그을린 아이가 발그레 피어난다
바다에서 올라온 그녀를 맞는 웃음이다
해가 다할 때까지 멀리 가지 않아
바다밖에 몰라
바다만 부르는 나팔수가 되어
모진 바다에서 어머니 부른다
옆에 두고 간 해녀 어미의 유모차 곁에 앉아
칭얼대지 않고 노래하네
한 나절 다 되어 잠이 들다 말다
미안해져 사르르
얼굴 감싸고 잠이 든다

관덕정 원도심

기와가 사라지고 초가는 걷어지고
중심은 햇살 받은 수기와
원도심 투어한다고 모인 사람들 틈에
바람은 불고
난장은 또 옷을 차려 입고
기와 끝마다 걸린 장안을 둘러본다

어릴 적 목욕탕 집에서는
커피 볶는 냄새 관광객을 부르고
오래전 낚서처럼 동네 한바퀴 둘러본다
퍼포먼스처럼 그려진 그림 앞에서
시간 가방을 든 사내가 벽에 걸리고
코끼리처럼 살찐 도시는 벽을 부순다
깔깔대며
그림으로 들어간다
성당의 뾰족한 탑에 해는 걸리고
소품가게에서 우린 이방인이다

가파도

바다에 떠서 시간을 기다리는 섬
풍랑주의보는 가파도 바다를 피해 달아났다는데
갈매기 구름 아래 찬바람 몰려난다
청보리 물대에 나앉아 푸른
가파도 여인 치맛자락처럼 펄럭인다
바다가 낯이 두꺼울 때가 있다
바다는 산맥처럼 울렁인다
계곡처럼 우렁거린다
햇살도 들지 못한 가파도
멀미도 없어진 오십 넘은 낯 두꺼운 여인
바다 맛 같은 중년에 찾은
바다를 낀 가파도
몇 개의 지붕과 두 개의 바람개비
바람을 일으키고 있다
가파도가 넘실댄다
가파도 가는 길에 설렘이 그려져 있다

산지천 난장

물이 흐른다
제주 사람의 삶의 빨랫터
궂은 물 흐르던 지난 시간
걷어내고
한라의 수문을 열고
은어가 왔다

물처럼 드나들던 사람들의 시간 여행
그 안에 이야기가 흐르는 별나라
물소리는 할 말 많은 사람들의 말소리
산지천으로 흘려보내며 살아온 사람들
별뗏목 타고 밤을 건너는
이야기로
아이들이 크는 탐라에는 별 이야기가 흐른다
산지천으로 물소리 말고
아무 소리도 허락되지 않는
문명이 아닌 자연의 소리
난장으로 사람들이 모여든다

서귀포 칠십리 시 공원

공원에 시비가 서고

비는 시로 스며든다

배 띄워라

봄 마중 가자

천지연폭포 물길을 받아
매화가 피었다

알뜨르비행장

모슬포 알뜨르비행장 드넓은 밭
마을 사람들은 밭에서 일을 하고
어쩌다 한번 찾은 사람은
놓칠 수 없는 숨은 역사를
쿵쿵거리며 찾아 걸었다
고구마밭을 지나고 무밭을 지났다

저 견고한 격납고
살 것인가
죽을 것인가
감을 수 없는 눈으로 본다
그림자 갇힌 창살 속에서 밖을 본다
파랗다

박홍일 서예 창작실을 찾다

자선이라고 쓴 간판
가을 끝물이라 춥다
북채처럼 걸린 붓들이 범상치 않다
북소리 들린다
곡즉전
현장 휘호
굽은 게 곧 온전하다
숨도 안 쉬고 눈으로 담는다
그는 붓으로 섬을 놀리고 마음을 울린다
오래된 레코드판에서
쇠북소리
붓은 춤을 추고

초원의 집

동쪽으로 달려
오름은 집이 되어 기다린다

찰나 앞에서
한림화 소설가의 소설을 읽고
오름으로 돌아간 사람을 만나고
김영갑 갤러리 앞에서
산수국 같은 그의 사진을 본다

오래 머물러 있다
순간, 다음으로
간다

아끈다랑쉬오름 고승사

오름지기는 절 하나를 가지고 살았다
오름에 올라 산 것도
이름을 받은 날부터 타고 난 운명이었다
멋쩍게 오름에 선 내가
그에게 손을 내밀었다
얼굴엔 노스님의 넉넉함이 보였다
난장판을 벌인
우린 철없는 동자처럼 오름을 휘갈아 다녔다
고승사를 만나고 온 후 한참 지나서
절은 잘 있다고 연락이 왔다

하례 왕벚나무

작은 새 한 마리 왕벚나무 찾아왔다

꽃 한 잎 날린다

꽃잎 하나에도
온 산이 울린다

꽃잎 흔드는 한라산 중턱

눈치 보며 끼어든 난장

꽃잎 춤추네

휘어지는 허리로 봄 받고
떨어지는 꽃잎 지켜보네

온 산을 흔들어 놓듯 마음 흔드는 봄
꼬드겨도 소용없다
시가 흐르는 바람난장에
바람은 없다

물메에 날아든 흑나비

흑나비 흑솔에 날아와
바람처럼 나네
날갯짓 바람 되어 물메로 날아가네
흑나비 날개 내려앉아
흑솔을 감싸안네
날 지켜낸 신이여!
온몸으로 날아든 맨발의 흑나비
바람에 찢겨져 가네
내려놓은 내 생
나비를 포기한 흑나비
흑솔의 나이로 날아가는 그대
흑나비
같이 가는 날
받아주길 바라네

변시지 미술관

바람은 섬을 휘돌아 가고

물감은 찌그러지고 뚜껑은 열리고
흩어지고 부서지고
알맹이는 으깨진 채로 모두 굳은 채
바람은 멈췄다
바람을 일으키던 붓질은
멈추고 누웠다

바람으로 왔다가
바람처럼 떠났다가
다시 돌아와
그의 손이 바람으로 이어져
제주를 그리고 있다

난장이 시작되고
맨발의 그녀가 변시지를 춤 춘다
비는 그의 붓질처럼 온다
붓의 움직임에 숨을 불어넣는 시간
죽은 나무가 숨을 쉬듯 살아난다
바람 분다
붉은 꽃으로 피가 돈다
환생꽃으로 살아난다

ShinHan Art Materials

열여드레 우도

우도 배가 다 떠난 시간
올레 길은 조용한 물결 소리만 걷는다
한 집씩 켜지던 식당 불빛 멀어지는 골목길에 들어서자
집집마다 개 짖는 소리
소란스러웠던 한나절을 컹컹거리며 토해내고 있다
노란 칸나꽃 어두운 길 안내한다
뿔소라 잡아먹고
우도 밤바다 달래는 이방인의 색소폰 소리
살아온 시간 왔던 길 돌아가라면
난 싫다
보름달 먹고 사흘 지나
소가 일어나 걸었다

쇠소깍

처음이었다

빨간 고무신 벗어놓고
생을 다한
물에서 뜨거운 숨을 걷어 올리고
차가운 숨을 걷어 올렸다

물이 돌고 돌아
돌아오듯
서로 그리워한다

알뜨르비행장 파랑새

볕이 들지 않아 검은 땅이다
쾨쾨한 연기 같은 하늘을 받쳐들고
무너진 건물은
사람이 오기를 기다리고 있다
하늘과 맞닿으면 소식 전해질까
오색 천 이 땅에 가득 펄럭이며
운다
뜨거운 하루
돌아보아도 알지 못할 사람 마음
용서할 수 없는 사람들 틈에
하찮은 사람이 되어 사라진 검은 땅에
파랑새
소녀의 품에 있다

조천1

해안도로에서
바다는 거칠게 달려오는 파도를 데리고
조천까지 왔다

꽃이 떨어지는 봄
꽃놀이 시작하려니 눈물이 나네
바람길 찾아 하늘 보다
또 눈물 꽃 나리네
사랑 찾아 조천까지 와서도
사랑 사랑 떨어지는 꽃잎이 되어 버렸네

어이할까
누가 만들어낸 것도 아닌
사랑의 일
누구의 탓이 아닌 여자로 태어나
물을 길어 다녔을 뿐
어찌 삶은 사라지고 너를 달랠 길 없는
위로의 동이굿
벌려보네

조천 2

-시인의 집

어느 시인이 조천에 와서
시를 바다에 풀어놓고 장사를 한다
밤 유리창에 앉아
바다를 보고 말을 걸어보면
어둠이 오래전 시간을 흔들어
물결을 몰고 들어온다
그러면 난
바다에 떠 있는 불빛과 건배를 하고
혼자 시를 풀어 술을 마신다

조천 용천수 길
낮에 숭어가 뛰는 앞바다에
낚싯대는 절대 안 된다고
집에 온 손님에게
그럼 못쓴다고
손사래 치는
바다를 기도하는 시인이 시를 판다

해녀콩

여자로 태어나 어미가 되어 보는 일
그러길 바라고 바란 일
밀어내야만 하는 일
여자의 삶을 거스르는 일
바다는 안다
식솔들은 안다
모른 척
그러려니 하며 살아왔다
누굴 원망하질 못하는 집에 태어난 죄인걸
해녀콩을 먹고 오름에 올라가 몸을 구르고
바다로 간다

서귀포 면형의 집

에밀 타케 낯선 이방인 신부는
제주에 뿌리를 내릴 감귤나무를 심었다
백년을 살아가는 나무에 마음도 같이 살아간다
제주 사람이 아닌 제주 사람
제주의 땅과 함께한
그가 살려낸 온주밀감나무
제주를 살려낸 힘이 되었다
촛농으로 흘러내린 성당에서
사람을 감싸안은
노래는 흐르고
기도처럼 사람은 흐르고

석주명, 나비정원

파르르 나르는 소리
나비정원을 난다
마음껏 날갯짓하며 날았다
웅크렸던 몸 펼치려고 젖은 날개 여러 번 팔락여보았다
흙 속으로 발이 박히는 비 개인 날
일어나 숲으로 내달렸다
힘든 하루 털어내듯
일어나 날개를 펴고 날았다
숲으로 뛰어들었다
나비가 하늘로 오르려고 숲을 비행하기 시작했다
앞뜰에서 뒤뜰로 돌아 나와
다시 펼쳐진 하늘로 사라진 듯
숲 정원에 파드닥거리며 날갯짓 소리
하늘의 신에게 경건하게 제를 지내던
아버지 옥빛 두루마기
날개를 흔들며
나비가 되어 날았다
석주명의 이름으로 돌아온 나비를
오늘 본다

무등이왓 바람

문둥병 앓는데도
무등이왓 떠나지 말고 살았으면 했다

맨발은
찰진 검은 흙속으로
자꾸 미끄러지며 빠져 들어가고

목수건으로 몸을 감싼
그녀가 신발도 없이
무등이왓을 헤매고 있을 때

느닷없이
노랑나비 팔랑거리며 날아와
눈물 난다

아주 길게 바람 연주는
술잔에 담긴
기도 속으로 묵념처럼 흘렀다

문필봉 지나 보리밭

-애월에서 만난 예술가

애월은 사랑가에 춤을 추네
밤을 오래 견디어낸 사람은
달빛의 외로움이다
물 위에 뜬 달을 보다가 붓을 들었을
전설 같은 돌탑이 서 있다
청보리밭을 닮아 푸르다

보리밭을 사랑한 사람은 예술가가 되어
보리밭에 자신을 전시했다
봄으로 온 사람들은 노래를 부른다
사월의 노래는 보리밭을 흔드는 바람
보리밭 출렁인다

초록의 보리는 바람을 연주하고
노래에 물결 치며 춤을 춘다
봄의 산파는 이렇게 수려한 보리를
까칠하게도 낳아 놓았다
햇살이 조명처럼 비추고
보리밭에 알을 낳는다

옛 구억국민학교

-살풀이

봄이 연주되는 학교 운동장에 살풀이 오른다
그녀의 춤사위 속으로 슬픔이 고개를 내민다

그녀는 여러 번 손을 들어주고
넌지시 내놓는 수건이 다시 걷어지고
돌고 돈다

지난해 심은 동백은 죽고 말았다는데
돌아보지 않아서 아무도 몰랐다
자리가 좋지 않아서
더 이상 뿌리를 내리지 못했다
한 해도 제대로 살지 못했다

우리는 아무것도 하지 못했다
그 붉은 동백
다시 봄을 피울 수 없겠다

살풀이 춤이 이어지네
잠들지 않는 남도가 울려 퍼지고 있다

다시 찾은 옛 구억국민학교

-사월

하늘에 드론 날고
땅에 누운 동백
붉다

사월 동백 피다

뿌려지는 동백

한동안 동백은 땅을 물들이고
동박새 붉은 동백 피를 쏟고 가도 원망하지 못하겠다

사월, 그 울림으로

-함덕, 내 고향

함덕 멜밭
모래 바람 불고
한 움큼 모래 덜어낼 때마다
모래성에 꽂아둔 나뭇가지처럼
불안에 흔들리는 사람들
군중처럼 서 있다

작은 고모 등에 바짝 업고
샛고모 손잡고 큰고모 앞세워
그곳으로
할머니는 걸어갔다

바람에 실려 온 피 냄새
세상에 태어나
한 해 동안의 눈치가 생겨
작은 고모는 울었다
할머니 등에 업혀
꽁꽁 묶여 가던 어린 목숨이
악을 쓰며 울었다

총소리보다 울음소리가 빨랐던 것일까
목숨 줄 걸린
그 울림으로
살았다

산지천

홍예문 아래 산치천에
알몸으로 뛰어들던 아이들처럼
유채꽃 피었다

빨래를 했다
땀에 전 생을 때리고 두들겨도
때는 빠지지 않고
한숨만 바다로 떠내려갔다
구정물만 남은 게 아니다
썩어가는 생활의 물때
떼어내려 애쓸수록 악은 받쳐 들고
그 자리에 물을 갈아엎고만 싶었다

새 바다를 수혈받은 산지천
동문통 달려가는 시장의 아침
덮어버린 배고픔 대신
은어 돌아온다

서귀포 야외극장 해녀

구음으로 바다가 들어온다

제주 여인이 들어온다

테왁 망사리
바다에 둥둥
밤무대 헤엄치는
한이 바다로 든다
큰 여 속에 목숨 내놓고 살아온
제주 여인
살민 살아진덴
삼춘 말도 귀에 쟁쟁
물질 잘해보라 족은년아

다시 태어나
영 살진 안 하겠다고
그냥 살아온 게 아니렌
몸으로 말한다

지붕이 없는 극장 안으로 휘돌아 오는 바람
공중으로 맑은 울림이 치맛자락을 흔들어
극장을 메운다

아픈 유산

-송악산 진지동굴

너에게 물려준 건
구멍 숭숭 뚫린 아픈 상처뿐이다

너를 위로하는 춤
굵은 모살에
발은 생채기가 난다
아비의 아픔을 쓸어준다

바다 앞에서 맨발의 춤꾼은
춤을 멈추고
바다를 본다

온몸으로 송악산을 업고
바다를 향한 평화의 기도가
음악에 담겨 파도친다

오늘 진지동굴을 파던
고된 노동보다
밭농사를 걱정하던
아비의 아들로 태어나
넌
오늘도 송악산을 데리고
먼바다를 보고 있다

잣질을 걷다

보리지게 돌지게 시절 지나
돌도 파는 시절 되언
잣질은 생명질

멩지밧도 제주 인심으로 살았던
총대기 잣질을 지나 걸어오면

지난 시간들을 걸었던
우리 어멍 아방
그 질로 걸어오고

빗질에 남은 잣돌
돌담에도 나이가 있어서
잣담에 나이테가 생길 때마다
늘어나는 머들처럼
아버지 주름살

척박한 돌밭에서 살아온 삶
돌처럼 골라내고 있다

명월 팽나무

명월로
백년의 시간을 넘어온 팽나무
아래로
팔순이 주름진 수다로 다가와
시집살이처럼 팽나무 서 있다 한다

검게 그을린 얼굴에 주름 깊다
오랜 시간을 넘어온 흑백의 줄기가
외할머니를 닮았다

명월의 찔레꽃 백난아 가수를 만나는 시간

시가 흐르는 산지천

만선처럼 부두로 들어오는 어둠이
길 하나를 두고 망설인다
배가 나갈 길 차도로 막히고
이미 기능을 상실한 배
집으로 가는 길조차 잊었다
해상호라는 이름을 달고
집을 떠나온 지 오랜 배에서
시가 물처럼 흐르고 음악이 흐르고
산지천에 시간이 흐르는 동안
물 따라 찾는 이의 발자국이 찍혔지
물가에 빨래하는 아낙이
물동이 진 여인이
부둣가 옆길에 늘어선 아가씨
눈 흘기는 웃음이 울다가

부두로 이어지는 발길에 채이기도 한
과거의 사연들이 홍예교 건너 사라지고
시를 노래하던 이곳
지나가는 외지 사람들 사진 포즈로나 남다가
태풍에 찢겨나간 돛을 손질해도
갈 곳은 사라지고
돌아갈 집도 없는 해상호는
어스름에 찾아든 철새의 하소연을 들어줄 뿐
산지천을 흐르던 시는 떠나고
다시 찾을 일 없는
지나는 길목에 고개 돌려 인사나 하는
해상호는 영원한 바다로 출항하고
산지천은 남아 바다를 부른다

애월 바다

남뜨르에서 쉬었다
새가 알을 품은 바위가 바다에 솟아있다
바위는 서서히 다른 모습으로 보이기 시작한다
한없이 바다를 본다
간절한 눈빛으로 그리운 눈물로 화장이 지워진다

다시 하얗게 분장한 인디언 추장이 보인다
원주민이 된 인디언의 후예를 보고 있다
비장한 전사의 모습으로 멀리 바다를 보고 있다
태초에 제주가 생기던 그때에
혈맥에서 솟아나온 그가 아무데도 가지 못하고
제주 섬의 한 자락에서
파도처럼 밀려오는 파괴를 참고 이겨내고 있다
전사를 만난 기쁨에 겨울도 시원하다
쉬어야 돌아볼 수 있다

사월 십육일

누가 이 자리 저 꽃 두고 갔을까
빵소니범을 찾느라 주위를 살폈지만
비만 모른 척 내린다
나무에서 떨어진 지 불과 몇 시간이 흘렀을까
싱그런 이마와 참스런 입술을 달싹거리며
말을 건넬 것만 같은데
빗길에 미끄러지듯
이곳에 남아 비를 맞으며
밤을 보내야 한다
다시 돌아갈 수 없어
떠들썩하게 웃을 수 없고
떨어져서도 붉은 동백
하루하루 지켜보며 울컥거리는
마음으로만 기도하는

자연의 선물

비 개고 오래된 꽃농원 연못에
자연이 잃어버린 보석이
여기 장물아비 손에 있었네
꽃 농원 폐원되고
주인은 문을 닫았다

아주 가까이 카메라를 들이대고 살폈지
지문 조회하면 범인을 찾을 수 있겠어
아차 이걸 어쩌지
어제 비가 와서 지문이 다 씻겨 버렸네

어쩔 수 없이
이 보석의 일부는
오늘 발견한 당신이 주인인 것 같군요

소금꽃

바닷물 햇살과 바람에 말려 소금이 되었다
정육면체 사랑이 되어간다
꽃을 피우는 일
태양 아래 소금쟁이의 팔뚝 살 만큼
검게 타야만 한다
바람이 자주 놀러오지 않고
관심 없이 떠나가면
소금은 오다가 만다
비가 와 버리면 심심해진 사랑발은 도로 돌아가고 말지
다시 해를 기다려야만 하지

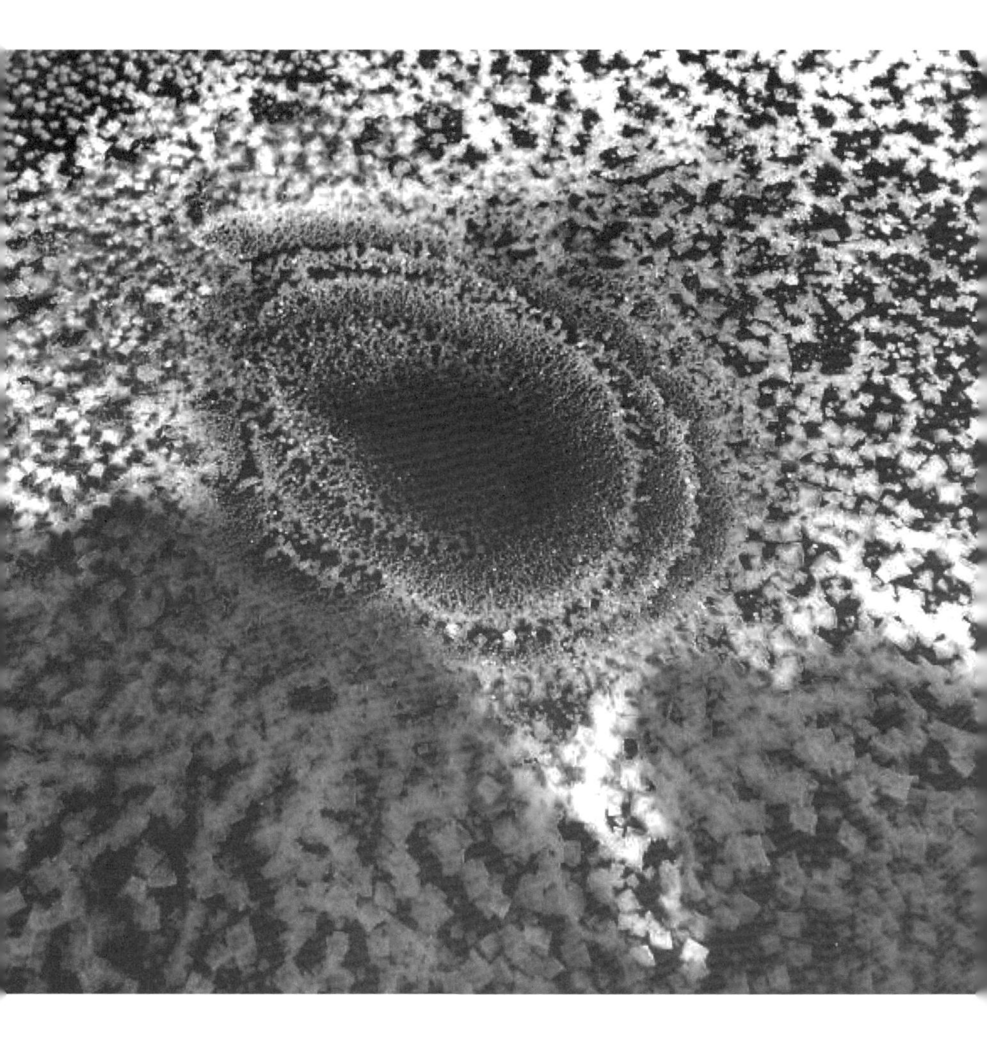

하가리 연화못

누구의 허락으로 남아있는가
가뭄이 타들어가는 여름
매미도 하늘을 찢는 듯 운다
목마르다 찾아온 하가리
아직도 연꽃 열어놓지 않고 애태운다
비구니스님
말 없다
합장하고 돌아서서
먼저 핀 연꽃 마음에 담는다
한참 더 몽울 진 연꽃
입을 다문 채
보고만 있다

김정희

제주에서 태어나 제주에서 시와 동시를 쓰고 있습니다. 2008년《아동문예》동시문학상을, 2014년《시인정신》시문학상을 받았습니다. 지은 책으로 그림책《애기해녀학교》, 동시집《오줌폭탄》, 《고사리손 동시학교》, 시낭송 시집《물고기 비늘을 세다》, 제주어 동시집《할망네 우영팟듸 자파리》(2017 세종도서 문학나눔 선정도서), 제주어 동시 그림책《청청 거러지라 둠비둠비 거러지라》(제3회 한국지역출판연대 천인독자상 공로상)가 있습니다. 문학놀이아트센터 대표이자 제주문인협회, 제주아동문학협회, 한국동시문학회, 한라산문학동인, 제주어보전회 회원입니다. 현재 고향인 함덕에서 동시 전문서점 '오줌폭탄'을 운영하고 있습니다.

hopekjh1022@naver.com

순간, 다음으로

2020년 11월 30일 초판 1쇄 발행

글 김정희 | **사진** 김정희·채명섭·허영숙 | **펴낸이** 김영훈 | **편집** 김지희 | **디자인** 나무늘보, 부건영, 이지은
펴낸곳 한그루 | **출판등록** 제651-2008-000003호 | **주소** 63220 제주도 제주시 복지로1길 21(도남동)
전화 064 723 7580 | **전송** 064 753 7580 | **전자우편** onetreebook@daum.net | **누리방** onetreebook.com

이 책은 제주특별자치도, 제주문화예술재단의 2020년도 문화예술지원사업의 후원을 받아 발간되었습니다.

ISBN 979-11-90482-35-6 03810

김정희 사진시집
순간, 다음으로

값 18,000원